开心球

俄罗斯聪明玛莎出版社

北京开心球动漫技术有限公司

方法大全

赵力 译

只要不断摸索，就一定能找到更好的办法。

中国人民大学出版社

·北京·

人物介绍

喜欢运动和探险，爱吃胡萝卜

一只淘气、多嘴的兔子。活泼好动，充满活力，是个乐天派，和猬小弟是最好的朋友。

喜欢收藏各种东西，喜欢看书

善良、有礼貌、乐于助人、有一点点害羞。这只小刺猬总是不慌不忙，外表很温柔，内心很勇敢。

爱漂亮，喜欢幻想，喜欢收礼物

可爱迷人的女孩，爱吃甜食，微胖界美女。经常鼓舞其他开心球去完成重要的事情，喜欢得到赞美。

喜欢文学、诗歌和艺术

非常敏感、容易受伤，开心球中的著名诗人。一直在寻找灵感，散发着忧郁而浪漫的诗人气息。

热爱科学、读书和美食

很有才华的科学家，生活中有点儿笨手笨脚。对待任何问题，他都会在自己的藏书中寻找科学的答案。

巧老师

喜欢烹饪，关心大家的健康

乐于助人、充满爱心的奶奶。随时带着医药箱，经常给别人看病，倡导健康的生活方式，严厉但很公平。

大嘴叔

喜欢旅行，热爱戏剧和音乐

年长的绅士，伟大的旅行家。是个讲故事的能手，有艺术家气质，有一点儿爱吹牛。

农夫熊

喜欢种植，爱吃蜂蜜

温顺憨厚，不善言谈，整天都在地里干农活：耕地、除草、灭虫……他种的蔬菜长得非常快！

平博士

热爱发明，擅长机械，敢于冒险

自学成才的发明家，能将一堆金属碎片变成神奇的机器。喜欢开飞机，经常冒出奇怪的想法。

小贝

聪明绝顶，喜欢探索太空

平博士创造出来的机器人，拥有超强的学习能力，不会说话，但可以发出电脑声波传达信息。

世界上有些事情，一开始看上去非常困难。但是，如果遵守一定的方法去做，它们也许会变得非常有趣。

兔小跳对遵守方法并不在意。这是显而易见的：淘气的人做任何事情都热衷于按照自己的想法去做。对他来说，方法不是必须遵守的法令。

瞧，草地上，我们的兔小跳和猬小弟拖来一个装满水的浴盆，还有一个带刻度的空罐子和一把梯子。你认为兔小跳是要洗澡吗？不，他是为了测量自己的体积！

同一时间，巧老师正在家准备午饭，空气中飘荡着奇异的香味。巧老师偶尔会从炉子旁跑开，打开一本大书核对。

“松果草、薄荷叶、益母草根……” 她大声念着，合上书后再次跑到炉子前。

就这样一趟又一趟，从炉子到书，又从书到炉子，加一些东西，减一些东西，再尝尝味道……

朱小美正坐在小桌子边摇着手中的搅拌机，细细长长的胡萝卜泥落在碗里。

“真糟糕！”巧老师再次看了一眼书，“我们差点儿忘了放玫瑰花瓣。”

茶
茶

她跑到拐角的房间里，翻出好几个粉色的盒子，很郑重地说：“成功的秘密就是要遵守它的方法，稍微差一点儿就全完了。”为了搞清楚哪个盒子里面有玫瑰花，女主人抓着每个盒子晃了晃，其中一盒飘散出了幽香的玫瑰味道。

“我用了一生的时间收集这些方法，”巧老师一边说着一边把玫瑰放到搅拌机里，“这本书里各种方法应有尽有！做苹果派的方法，让家里更加舒适的方法，如何变得更聪明的方法，如何射中球门的方法……”

巧老师从桌子下找出一个没气的足球，开始给它充气。

趁着巧老师给足球充气的时候，朱小美着迷地看了一会儿《方法大全》：如何在一小时之内变瘦，如何使脸色看上去像花儿一样，如何瘦腰……这本书简直可以实现她所有的愿望！

“如果我需要做某件事，但是在《方法大全》里还没有，怎么办？”朱小美突然提出了疑问。

“应该来问我呀，不然没准儿要惹出什么麻烦来。看，这就是最典型的例子。”她用手指着窗户。

原来巧老师发现了窗外的兔小跳和猬小弟，她说道：“兔小跳和猬小弟决定要泡个澡，但是他们都不知道怎么做才是正确的，又懒得来问我。”

巧老师取来《方法大全》，翻动书页。

“风车……失眠……找到了，泡澡！”

巧老师拉着朱小美急忙跑到了房间外面。

巧老师出现时，兔小跳正准备休息一下。

“第一，”巧老师大声说，“应该在热水里泡。”

看见热水壶，兔小跳想从浴盆中跳出来，但是还没来得及，热水就哗哗地倒进了浴盆。

这时候，朱小美已经念出了第二句。

“第二，应该倒上沐浴露并搅出泡沫。”

兔小跳抹了一把脑袋上的泡沫，跳起来，巧老师抓着小跳的长耳朵又把他按回到水里。

“第三，应该往水里面放玫瑰花瓣。”

玫瑰花瓣飘荡在空中，然后慢慢落下。有一些花瓣落到了兔小跳的呼吸管里，他好一阵咳嗽，不由自主地滑向了浴盆底部。

“现在放松。”巧老师满意地总结着，回到了家里。

樱桃

巧老师把《方法大全》放到了架子上，继续做她的家务活。她搅拌了一下汤，放了些作料，然后费力地爬上桌子，往架子上放果酱瓶子。为了能多放几瓶果酱，巧老师尽量在架子上挤出更多的空间。但是每放一个沉甸甸的果酱瓶子，一旁的《方法大全》就被挤得越来越靠边。

“这些方法实在是太有用了！”朱小美陶醉地闭上了双眼。“我要向巧老师借这本书！”她开始摇搅拌机的手柄，却觉得好像被什么东西卡住了似的。

朱小美睁开眼睛，看到了可怕的事情——从搅拌机里掉出来的是一张张白色的纸条！这些纸条，是刚刚还拿在手上的《方法大全》。

布拉太多

书变成了小纸条！“哎呀！”朱小美吓得喊了出来。

巧老师扶了下眼镜，问道：“怎么了，你喊什么？”

一大滴泪珠从朱小美眼睛里滚落下来，她用发颤的手指着满碗的碎纸屑，巧老师不解地从碗里拿出一张纸条念道：“如何增强腹部肌肉……”她愣了一下，又拿了另外一张，“如何防止鞋油变得干燥……”

巧老师的脸色变了，她明白了，这是她的《方法大全》。她捂着胸口晕了过去。

而此刻，窗外的猬小弟正在忙着救兔小跳。他把兔小跳的手放在胸前，使劲按压，像喷泉一样的水柱顿时从兔小跳的嘴里喷了出来。当好朋友朱小美哭喊着跑过来的时候，兔小跳已经睁开了眼睛。

“兔小跳，猬小弟，巧老师有麻烦了！”

虽然还不太明白是怎么回事，猬小弟还是扶起刚醒过来的兔小跳，和朱小美一起去救人。

推开房门，他们看见坐在地板中央的巧老师。她看上去很虚弱，手里拿着一堆碎纸屑，嘴里不停地重复着：“我太累了，我需要休息一会儿……我需要休息一会儿……”

“也许她真的很累了，需要好好休息。”兔小跳说。

但是怎样才能好好休息呢？他们经过讨论后认为，最好的休息应该是在大自然中呼吸新鲜的空气。兔小跳和猬小弟一起把巧老师放到独轮车上，推着她出门了。

突然，独轮车撞到一块石头上，巧老师从独轮车中飞了出去，在空中翻了两个跟斗之后，摔在了草地上。

巧老师在大自然中也没能好起来。

“她需要的是一种特殊的休息——‘医学疗养’！”兔小跳果断地说，“有谁知道‘医学疗养’的好方法呢？”

猬小弟耸耸肩。朱小美却抱来一大堆碎纸屑郑重地说：“这里面肯定有。”

朱小美把碎纸屑在草地上铺开，努力地从里面寻找“医学疗养”的做法，并把它拼凑出来。猬小弟和兔小跳按照她说的，把巧老师拴到树上，并尽量大声地放着舒缓的音乐。

“现在，”朱小美命令道，“把尘土拍干净，而且不要破坏上面的绒毛。”

“什么绒毛啊？”猬小弟感到很奇怪，但他还是轻轻地在巧老师的尾巴上敲打了几下。

“我太累了。”巧老师回答道。

“每三天浇一次水。”朱小美继续说道。

“已经浇水啦！”兔小跳高兴地说。

“还有不要忘了施肥。”

“已经施过肥啦！”还是兔小跳说。

这时朱小美笑了，她抓着一个纸条郑重地说：“最后一条终于找到了！‘保存到孩子够不着并且黑暗的地方’。”

兔小跳和猬小弟对视了一眼。他们都明白，哪里是最黑暗而且孩子够不到的地方——那就是深坑，因为孩子是不敢到深坑里去的。

兔小跳和猬小弟抓起铲子开始挖坑，朱小美在旁边陪着病人。

当漂亮的深坑挖好后，朋友们小心翼翼地拉着巧老师想把她放下来。但是他们拽得太用力了，以至于把巧老师拽进了坑里。

整整五分钟，朋友们都不敢过去看一眼。但好奇心又驱使他们去看看。在坑的底部，巧老师直直地平躺着，脸上带着狡黠的微笑。

“小美，”她大声地命令道，“拿出一个新本子来做笔记！‘医学疗养’的做法，首要的是，躺在草地上展开翅膀，躺着，躺着，躺着！”

开心球词典

刻度： 某些容器上面刻着的横条纹。可以用它们测量体积。比如，爱喝很甜的茶，在放糖的时候就要放整整一个刻度。而朱小美爱护牙齿，她就会少放点儿糖。而温度计上的刻度可以标示外面的温度，这样你就知道围脖该系紧点儿还是松点儿。

说明： 对一件事情该如何正确做的详细描述。比如，如何正确地跳过一个水坑的说明是：1. 找到水坑；2. 助跑；3. 跑到水坑边，双脚蹬地跳过去；4. 从水坑上面飞过去；5. 降落在水坑的另一边。有了说明事情就变得简单又清楚。

智慧： 拥有很好的分析、辨别能力。通常成为智者已经到了老年的时候。为了获取智慧，要多看多学习，然后把两者结合起来再进行思考。只从一项研究或者一本书中不能得到很多智慧，只能变得更聪明。而成为聪明的人也不错。

体积： 你占多大的地方或者还能放进去一个多大的东西。比如，大海的体积非常大（大海可以容纳很多的水），而一桶水的体积和大海相比简直是微不足道，尽管一桶水也很多。一桶水的体积没有哪个肚子能够放得下，所以喝水喝一杯的量就足够了。

休息： 当你上完很长的课，结束繁重的劳动或者复杂的游戏之后，或者你长时间地做一件事情，你会感觉累，就需要休息一下，干点儿别的事情。比如，可以手工做一个小板凳，也可以稍微偷点儿懒，什么也不做。

配方： 存在于医疗或者烹饪中，在医疗中，由医生来写，主要写服用何种药物以及如何服用才能变得健康。而烹饪的配方是讲述如何做食物的。你也可以自己想个菜，然后把配方记下来。但是医疗配方绝不可以自己写。

手工制作：

1. 取一块家用肥皂用刨丝器刨碎。
2. 把弄碎的肥皂放到盘子里加上热水，搅拌成溶液，并添加一滴植物油。
3. 小心地把溶液上面的泡沫用勺子去掉。

结实的泡泡

4. 取一根吸管，并把吸管底部切割成四个花瓣的形状。
5. 把管子带花瓣的那头在溶液中浸泡一会儿，然后抽出管子，将底部带肥皂的那端向下，轻轻地吹气。

图书在版编目（CIP）数据

方法大全/俄罗斯聪明玛莎出版社，北京开心球动漫技术有限公司编著；赵力译．—北京：中国人民大学出版社，2015.1

（开心球）

ISBN 978-7-300-20602-8

Ⅰ．①方… Ⅱ．①俄… ②北… ③赵… Ⅲ．①儿童文学－图画故事－俄罗斯－现代 Ⅳ．①I512.85

中国版本图书馆CIP数据核字（2014）第313254号

俄罗斯原版图书由A.马利根诺娃，I.波波夫，A.普罗霍罗，S.沙伊西努洛夫，I.舍甫丘克等编创。

绿色印刷 保护环境 爱护健康

亲爱的读者朋友：

本书已入选“北京市绿色印刷工程——优秀出版物绿色印刷示范项目”。它采用绿色印刷标准印制，在封底印有“绿色印刷产品”标志。

按照国家环境标准（HJ2503-2011）《环境标志产品技术要求 印刷 第一部分：平版印刷》，本书选用环保型纸张、油墨、胶水等原辅材料，生产过程注重节能减排，印刷产品符合人体健康要求。

选择绿色印刷图书，畅享环保健康阅读！

北京市绿色印刷工程

开心球

方法大全

俄罗斯聪明玛莎出版社 北京开心球动漫技术有限公司 编著

赵 力 译

Fangfa Daquan

出版发行	中国人民大学出版社		
社　　址	北京中关村大街31号	**邮政编码**	100080
电　　话	010-62511242（总编室）		010-62511770（质管部）
	010-82501766（邮购部）		010-62514148（门市部）
	010-62515195（发行公司）		010-62515275（盗版举报）
网　　址	http://www.crup.com.cn		
	http://www.ttrent.com（人大教研网）		
经　　销	新华书店		
印　　刷	北京尚唐印刷包装有限公司		
规　　格	210mm×236mm　16开本	**版　　次**	2015年3月第1版
印　　张	2　插1	**印　　次**	2015年3月第1次印刷
字　　数	5 000	**定　　价**	15.00元

10